P9-DHR-716

# PERÚ

## HIJOS DEL SOL

## *SPIRIT OF THE SUN*

# PERÚ

## HIJOS DEL SOL
## *SPIRIT OF THE SUN*

FOTOGRAFÍAS
WALTER H. WUST
PHOTOGRAPHY

Prólogo de / *Prologue by:* Juan Ossio

Textos de / *Texts by:*
Antonio Cisneros
Luis Millones
Edgardo Rivera Martínez
Eduardo Tokeshi
Walter H. Wust

# EQUIPO EDITORIAL
# EDITORIAL TEAM

EDICIÓN GENERAL: Walter H. Wust
*General editing*

ASISTENCIA DE EDICIÓN: Natali Wust
*Editing Assistant*

TEXTOS: Juan Ossio, Antonio Cisneros, Edgardo Rivera Martínez, Eduardo Tokeshi, Walter H. Wust
*Texts*

TRADUCCIÓN: Alex Emery
*Traslation*

FOTOGRAFÍAS: Walter H. Wust
*Photography*

DISEÑO Y DIAGRAMACIÓN: Pili Pestana G., Orlando Gonzales / EcoNews
*Design and layout*

ASISTENCIA: Nelly Del Carpio de Robles, Jorge Luis Mendoza / EcoNews
*Assistance*

RETOQUE Y MANEJO DIGITAL : Jorge Morales y Hernán Villalta
*Digital image and editing*

PRE-PRENSA E IMPRESIÓN: Gráfica Biblos S.A.
*Digital pre-press and printing*

Hecho el Depósito Legal / *Legal Deposit made*
N° 1501132003-6855
ISBN 9972-40-297-5



La presente obra es una producción asociada de Walter H. Wust y BIBLOS S.A. /
*This work is a joint production of Walter H. Wust and BIBLOS S.A.*

Los viajes realizados para la producción de este libro fueron efectuados a bordo de vehículos Mitsubishi. */ All the trips for the production of this book were made with Mitsubishi vehicles.*

A Gaby,
Madre, amiga, compañera y energía vital.

*To Gaby,*
*Mother, friend, companion and source of vital energy.*

Toda la fuerza y colorido del *ayarachi* de Paratía en la fiesta de la Mamacha Candela, Puno.

*The force and color of the* ayarachi *de Paratía musicians during the Festival of the Virgen de la Candelaria, Puno.*

Las chalanas de la caleta Santa Rosa son el campo de juegos –y de trabajo– para este pequeño vendedor de golosinas.
*The boats in the fishing cove of Santa Rosa are the playground and workplace for this little candy vendor.*

Bajo un cielo azul como pocos, la familia Cahui, de la comunidad de Llachón, teje su historia a orillas del Titicaca.

*Beneath the bluest sky on Earth, the Cahui family of Llachón weaves the story of their lives by the banks of Lake Titicaca.*

Un agricultor del valle del Marañón parece fundirse con los mágicos reflejos de los cocoteros que sirven de lindero a sus campos.
*A farmer in the Marañón Valley blends in with the magical reflections of the coconut palms that line the edge of his paddies.*

# CONTENIDO
## CONTENTS


PRÓLOGO 19
*Prologue*

DE PUEBLO Y CHACRA 39
*Of towns and farms*

ENTRE EL DESIERTO Y EL MAR 83
*The sea and the desert*

GENTE DE LAS ALTURAS 103
*Life in the highlands*

CON SABOR A SELVA 137
*With a taste of the jungle*

MANOS QUE HABLAN 163
*The language of the hands*

ACERCA DE LOS AUTORES 184
*About the authors*

INFORMACIÓN FOTOGRÁFICA 187
*Photographic information*

Convertidos en figuras de piedra y oro por unos instantes, estos pescadores de Huarmey culminan su faena al atardecer.

*Turned to figures of stone and gold for a few moments, these Huarmey fishermen call it a day at sunset.*

# PRÓLOGO
# PROLOGUE

Frente a tanto pesimismo era tiempo que un libro mostrase que los peruanos también reímos, que tenemos buen humor y unido a ello un gran caudal de creatividad y capacidad de trabajo. Esta es una cualidad presente en todos los sectores. Desde los más ricos hasta los más pobres. Desde aquellos que hunden sus raíces en el pasado prehispánico hasta aquellos que descienden de los conquistadores o de las sucesivas oleadas de inmigrantes. No obstante, durante mucho tiempo se ha venido pensando que nuestros pueblos originarios, aquellos que son el paradigma del peruano y se asocian con nuestra serranía, carecieron de esta expresión de alegría. Este es el caso de algunos pensadores y políticos que, sin haber compartido sus vivencias, desde cómodas posiciones dominadas por el centralismo limeño han presentado a estos últimos como sombríos, introvertidos, fatalistas, pusilánimes, apocados o melancólicos. Unas veces sus calificaciones las derivaban de consideraciones políticas donde destacaban su condición de explotados tanto por un régimen colonial como por uno capitalista y otras, de un determinismo geográfico que presentaba a su hábitat como encajonado entre profundas montañas.

Nada más lejos de la verdad. Basta acercarse a ellos con un espíritu abierto para darse cuenta que la mencionada caracterización les resulta muy lejana. Muy por el contrario, el humor es un ingrediente fundamental en sus vidas y va unido a una notoria actitud lúdica. Juego y humor van de la mano

*Faced with such all-pervading pessimism, it was high time someone produced a book that could prove that Peruvians can also have a laugh, that we have a sense of humor plus a healthy dash of creativity and capacity for hard work. This is a quality found in every sector. Ranging from the rich to the poor. From those whose roots are deeply embedded in Peru's pre-Hispanic past to the descendants of the Spanish Conquerors or the successive waves of immigrants . However, for some time now the prevailing thought has been that the original communities, those that are the essence of the Peruvian mindset and are linked to the highlands, lacked the capacity to feel joy. This belief has long been shared by thinkers and politicians who, without even having shared their experiences, from a comfortable standpoint dominated by Lima centralism have portrayed these very communities as somber, introverted, fatalist, pusillanimous, humbled or melancholy. At times the epithets stemmed from political factors which underscored the status of a people exploited both by the colonial regime and later a capitalist one, while another zeitgeist took a geographical stance, which painted the habitat as one boxed in by soaring mountains.*

*Nothing could be further from the truth. One only need approach with an open mind to realize that this stereotype is well off the mark. On the contrary, a sense of humor is a fundamental ingredient in their lives, and is linked to a well-developed taste for games. Games and humor go hand-in-hand as they are healthy*

pues son medios muy adecuados para dar rienda suelta a su marcada orientación competitiva y para promover los valores de la solidaridad social. En última instancia ellos traducen el valor de la reciprocidad que como muchos han señalado es una de las principales características del *ethos* andino.

Una materialización tangible de la importancia de este *ethos* se ve en el difundido dualismo que organiza al espacio, el tiempo y las relaciones sociales en los conjuntos poblacionales que se distribuyen en nuestros valles interandinos. De su raigambre prehispánica no tenemos la menor duda. Numerosas fuentes que van desde crónicas hasta restos materiales de interés arqueológico lo atestiguan. A través de ellas nos enteramos que la ciudad del Cuzco u 'ombligo del mundo', sirviendo de modelo a todas las localidades, se dividió en una mitad llamada Hanan (alto), que albergaba a las familias incas de mayor rango, y otra llamada Hurin (bajo), que cobijaba a las de menos rango. Según el Inca Garcilaso de la Vega "Los que atrajo el rey quiso que poblasen a Hanan Cozco, y por esto le llamaron alto; y los que convocó la reina, que poblasen a Hurin Cozco, y por eso le llamaron el bajo. Esta división de la ciudad no fue para que los de la una mitad se aventajasen a los de la otra mitad en exenciones y preeminencias, sino que todos fuesen iguales como hermanos, hijos de un padre y de una madre..." Además, señala que "... los del Cozco alto fuesen respeta-

*means of giving free reign to their competitive nature and promoting the values of solidarity. In sum, they represent the value of reciprocity which many have called one of the key characteristics of the Andean ethos.*

*A tangible materialization of the importance of this ethos can be seen in the dualism that organizes the concepts of space, time and social relations in the communities scattered across Peru's inter-Andean valleys. There can be no doubt about the deep-lying roots in Peru's pre-Hispanic past. There are many sources ranging from the Spanish chroniclers and bureaucratic documents to archaeological remains that confirm this. This enabled us to learn how Cuzco, the 'center of the world' for the Incas, served as a model for the empire and was divided into halves: Hanan (upper), which housed the Inca nobility, and Hurin (lower), where the commoners lived. Native historian Inca Garcilaso de la Vega wrote: "The ones chosen by the king settled in Hanan Cozco, which was why it was called 'upper'; and those picked by the queen lived in Hurin Cozco, which was why it was called 'lower'. This division of the city was not made to grant one half exemptions or privileges over the other, but rather all were equal as brothers, children of a father and a mother..." And he added "...those in Upper Cozco were respected and held as elder brothers; while those in the lower section were treated as younger brothers... in sum, they were like the left and right arms in any terms of pre-eminence of place or profession, as the ones in the upper section*

Benjamín, campesino de Umuchi, a orillas del Titicaca, pidió ser fotografiado frente a 'su' lago. ¿Cómo negarse ante semejante pedido?
*Benjamin, an Umuchi farmer by the banks of Lake Titicaca, asks to be photographed beside 'his' lake. How could anyone refuse?*

dos y tenidos como primogénitos hermanos mayores; y los del bajo fuesen como hijos segundos... en suma, (que) fuesen como el brazo derecho y el izquierdo en cualquiera preeminencia de lugar y oficio, por haber sido los del alto atraídos por el varón, y los del bajo por la hembra. A semejanza de esto hubo después esta misma división en todos los pueblos grandes o chicos de nuestro imperio...".

Un mito contemporáneo sobre el origen de las mitades Qollana y Sawqa de la comunidad ayacuchana de Sarhua, recogido por el antropólogo Salvador Palomino, señala que en un principio la comunidad era indivisa. La decisión de dividirla la toman ante lo lento y penoso que se les hacía acarrear la muy pesada campana María Angola. Cuenta el mito que "entonces pensaron –vamos a ponernos unos contra otros; tú vas a ser Qullana y nosotros Sawqa– y el Gobernador los repartió...".

A partir de aquel momento se les aligeró la tarea al igual que ocurre en el presente cuando tienen que hacer las faenas públicas. Divididos pueden competir y transformar el trabajo en un acto lúdico. El trabajo deja de ser un castigo de Dios, como Occidente muchas veces lo ha conceptuado, convirtiéndose en un acto festivo. De aquí que en la mayor parte de comunidades donde se puede observar la existencia de una división como la que venimos describiendo, o de naturaleza cuaternaria o decimal, ésta es puesta al servicio de dichas actividades.

*were chosen by the male and those below chosen by the female. To reflect this, later, all the towns in our empire , large or small, were divided in the same way..."*

*A contemporary myth on the origin of the Qollana and Sawqa halves of the Ayacucho community of Sarhua, written down by anthropologist Salvador Palomino, claimed that in the beginning, the community was undivided. The decision to split it stemmed from the difficult and sluggish task of dragging the heavy Maria Angola church bell to its bell tower. The myth states: "so they thought, 'let's pit ourselves against each other, you'll be Qullana and we'll be Sawqa,' and the governor divided up the community..."*

*From that moment on, the task was made easier, just as occurs today, when communal work tasks are performed. With the town divided, they can compete and turn the task into a game. Work ceases to be God's punishment, as is so often the Western concept, and becomes a festive event. This is why most communities are visibly divided, like the previous example, or sometimes even split into quaternary or decimal systems to work in these activities.*

*There are several terms for 'competition' in Quechua, the language bequeathed by the Incas. One such relevant term that exists in the ancient vocabulary of the language is cutipanacuy, which implies a sense of alternating. Another is tinkunacuy or tupay, which allude to an encounter. This*

En quechua existen varios términos para definir la competencia. Uno que figura de manera relevante en los antiguos vocabularios es *cutipanacuy*, que encierra un sentido de alternancia. Otro es *tinkunacuy* o *tupay*, que alude a una idea de encuentro. En la actualidad este término figura de modo relevante en el quechua sureño para referirse a ciertas batallas rituales que están muy extendidas en Cuzco, Puno y en algunas etnias bolivianas en la época de lluvias. En el quechua ayacuchano en cambio se prefiere el término *atipanakuy* para designar a las competencias de los danzantes tijeras y de otras expresiones musicales.

Desarrollar estas competencias en el marco de una división dual tiene una larga data. Cronistas como Juan Diez de Betanzos y el sacerdote Cristóbal de Molina refieren que con ocasión de algunos ritos de iniciación, como el *Huarachicuy*, para probar su valor los jóvenes incas de las dos mitades se enfrentaban a hondazos, saliendo de estos encuentros algunos contusos. Hoy estas batallas rituales siguen teniendo vigencia y emplean como proyectiles cualquier tipo de piedra. Es el caso de algunas comunidades cuzqueñas de las alturas de la provincia de Canas, donde no solo se dan contusos sino hasta muertos. Otras veces las piedras son reemplazadas por frutos y unas más las batallas se transforman en luchas a empujones entre contrincantes individuales. Este es el

*term is currently used in the southern Quechua dialect to refer to ritual battles that are common in Cuzco, Puno and some Bolivian communities during the rain season. The Ayacucho dialect of Quechua, however, tends to use the term atipanakuy for the competitions that pit danzantes de tijeras (Scissors Dancers) against each other and other musical events.*

*Peru has a long-running history of holding these competitions within a dual division. Chroniclers such as Juan Diez de Betanzos and priest Cristóbal de Molina wrote that during initiation rituals such as the Huarachicuy, held to test the courage of young Incas, both halves of their communities would battle each other armed with slings, whereupon some left the battlefield with cuts and bruises. These ritual battles continue today, sometimes using slings to launch stones. In some Cuzco communities in the upper highland reaches of the province of Canas, the battles leave a tally of not just wounded, but even dead. In some parts, the stones are replaced by fruit, while other battles involve shoving battles between individual participants. This can be seen in the reempujo in Sarhua, when during Carnival time, representatives of both halves of the town battle each other with their arms crossed with the aim of toppling their opponent.*

*When I did my fieldwork as a university intern in the Ayacucho community of Andamarca in the 1970s, the villagers told me how in the past the young men from the halves of Tuna and Pata,*

caso del "reempujo" de Sarhua, en donde para carnavales representantes de las dos mitades del pueblo se enfrentan por turnos con los brazos cruzados con el propósito de derribar al contrincante.

Cuando en la década de 1970 hice mi trabajo de campo en la comunidad ayacuchana de Andamarca, los pobladores me contaban que en el pasado los jóvenes de las mitades de Tuna y Pata, en que se divide el pueblo, se enfrentaban en prolongadas competencias de bailes que denominaban *Maqta Tusuy*. Estas duraban toda una noche, y hasta un poco más, y se decía que ganaba la mitad que más resistía.

La competencia en los Andes tiene, pues, múltiples expresiones. Algunas las ponen en práctica desde la niñez. Es el caso de los enfrentamientos, ya sea entre miembros de un mismo género o géneros opuestos, con adivinanzas o *huatuchi*. En una etapa posterior a ellas se le suman los insultos y las adivinanzas de contenido erótico. Tal es la popularidad de estos juegos y la capacidad inventiva que manifiestan que existen repertorios vastísimos y muy variados.

Jugar competitivamente con el lenguaje es algo profundamente arraigado entre los pobladores andinos. Cualquier momento es propicio para deslumbrar a la audiencia con el doble sentido o el empleo de metáforas. Por lo general se prefieren las lenguas vernáculas, pero si se conoce el español

*as the community is divided, would battle each other during Carnival in lengthy dance competitions dubbed Maqta Tusuy. These would often go on all night, and even longer, and the half that lasted longer was declared the winner.*

*Competitions in the Andes are expressed in many ways. Some are practiced from childhood. This is the case of battles, whether between members of the same or opposite sex, involving riddles or huatuchi. During later stages, the battles degenerate into insults and riddles charged with highly erotic content. Such is the popularity of these games and the talent for invention that there are vast and varied repertoires largely featuring risqué themes.*

*Playing competitively with language is deeply-rooted in Andean communities, and no special context is necessary. Any time is right to impress one's audience with double-entendre or usage of metaphors. Native languages are generally preferred, but if Spanish is spoken, it is used, particularly if participants are Spanish-speaking outsiders.*

*Verbal creativity is given such importance that in some communities it is practically a prerequisite to hold high-ranking posts as village authorities or varayoc to be skilled in song-writing. This is the case of the community of Qero in the Cuzco province of Paucartambo, where*

Rosendo retorna cargado de chala para alimentar a su ganado. Un minuto en la vida en el valle del Vilcanota.
*Rosendo returns carrying chaff to feed his cattle. A glimpse of life in the Vilcanota Valley.*

no lo desdeñan, en especial si existen interlocutores hispano hablantes.

Tanta importancia se le confiere a la creatividad verbal que en algunas comunidades se establece casi como un prerrequisito para ocupar los cargos más altos de las autoridades o *varayoc* tener habilidad en componer la letra de canciones. Este es el caso de la comunidad de Qero, en la provincia cuzqueña de Paucartambo, que exige a sus alcaldes tener esta capacidad. En otras partes, como en Cajamarca, para carnavales se organizan competencias de coplas donde se premia a los compositores más creativos.

Si bien es cierto que en toda competencia siempre hay ganadores y perdedores, muchas tratan de ir más allá, buscando que sea el conjunto social el que gane. Esto es clarísimo en las batallas rituales cuzqueñas de las alturas de Canas. Al margen de los contusos y muertos que resultan de intentar imponerse al rival, la estructura organizativa es de tal modo que cada contrincante tiene la oportunidad de ganar. Correspondientemente, el evento se divide en dos partes, mediando un intermedio entre ambos, y anteladamente se predetermina quien debe ser el ganador para cada parte. En el caso que nos concierne, el distrito de Checa debe ganar en la primera parte y en la segunda el distrito de Langui. Con el triunfo de lo que vendría a ser cada mitad la unidad se recrea y el ordenamiento social sale fortalecido.

*the mayor must prove his worth as a bard. Other areas such as Cajamarca in Carnival time hold verse competitions, where the most creative composers are awarded prizes.*

*While there are winners and losers in every competition, many strive to go further, seeking to ensure that society as a whole comes out winning. This is clear from the ritual battles in Canas in Cuzco. No matter the dead and wounded left from trying to beat their rivals, the organizational structure is put together in such a way so as to ensure that each participant has a chance to win. Thus, the event is divided into two parts, with a mediator communicating with both sides, and beforehand it is decided who will be the winner for each section. In the case mentioned above, the district of Checa is to win in the first part of the battle, and the district of Langui in the second. The triumph of each half, the whole is recreated and social order is strengthened.*

*Just as in the myth of the halves of Sarhua, where thanks to the competition between Qollana and Qayao, the villagers were able to shift the Maria Angola church bell, or as in many communities whose patron saints' or other festivals follow a sequence which gradually reconstruct the halves over the course of days, galvanizing them in a dual structure. Something along these lines occurs in the many versions of the tale known as El Oso Raptor (The Abductor Bear). One of the most classic versions,*

Es como en el mito de las mitades de Sarhua, que gracias a la competencia de Qollana y Qayao pueden mover la campana María Angola o como sucede en muchas comunidades cuyas fiestas patronales siguen una secuencia que reconstituye paulatinamente a las partes en una sucesión de días agrupándolas en una estructura dual. Algo semejante ocurre en muchas versiones del cuento conocido como *El oso raptor*. En una de las versiones más representativas, recogida por José María Arguedas, se dice que de la unión de un oso con una mujer que rapta engendra un ser anómalo cubierto de pelos, que tiene una fuerza y voracidad descomunal. Este personaje se enfrenta a otro ser anómalo, el condenado, que lo vence luego de una descomunal pelea. A continuación el orden se restablece. El condenado agradece al vencedor pues gracias a su triunfo él se libera de la condena y puede irse a la Gloria; el hijo del oso, por su parte, recobra la normalidad. Para completar este armonioso final, este último se casa con la hija del condenado y adicionalmente recibe la riqueza derivada de la avaricia. La analogía con el dualismo complementario se advierte en el origen de las anomalías de ambos antagonistas: el hijo del oso es el engendro de una relación exogámica extrema, como es la unión de un ser humano con un animal y el condenado, de una relación endogámica extrema como es el incesto y la avaricia.

Tal es el valor de la complementariedad de los opuestos en el mundo andino que han dejado muy

*written down by Peruvian anthropologist José María Arguedas, tells of how the union between a bear and the woman it abducted produced a shapeless being covered in hair and doted with unusual strength and voracity. This character faces another anomalous being, the Damned, which it defeats after an epic battle. After that, order is re-established. The Damned gives thanks to the victor, as the triumph liberates him from damnation and enables him to ascend to Eternal Glory; the bear's offspring, meanwhile, returns to his normal shape. To put the finishing touch to this idyllic ending, the bear's offspring marries the daughter of the Damned Man and on top of that receives the riches that were the result of his greed. The analogy with this complementary dualism stems from the origin of the anomalies of both characters: the bear's offspring is the result of a forbidden union, that of a human being with a beast, while the Damned Man was born of incest and greed.*

*So vital is the complementary nature of opposites in the Andean world that it has left scant margin to impose Western models. So irreconcilable are good and evil that the Andean Devil, far from being the much-feared punisher of souls, is seen as a jolly rascal, sometimes a joker, sometimes a fool, and often in the eyes of musicians, a muse. Scissors dancers, harpists and violinists in the central Peruvian highlands make a pact with the Devil to give them the skills they need to outshine their rivals.*

Haciendo un alto en las celebraciones, los músicos de Lampa intentan cubrir el sol con sus espléndidos tocados de plumas.
*During a momentary halt in the celebrations, Lampa musicians blot out the sun with their splendid feather headdresses.*

poco margen para el maniqueísmo occidental. Son tan poco irreconciliables el bien y el mal que el diablo andino en vez de ser la temible figura castigadora de almas es un personaje simpático, unas veces un bromista, otras un poco tonto, y muchas veces, sobre todo para los artistas musicales, un dador de creatividad. Con él pactan los danzantes de tijeras, los arpistas y los violinistas de la sierra central para obtener las habilidades necesarias para opacar a otros rivales.

En algunas comunidades cajamarquinas el diablo recibe el nombre de *shapi* y es el opuesto complementario del *amito*. Mientras el segundo figura como el ordenador, el primero es el travieso que desbarata lo que hace el *amito*. Según Ana de la Torre, el *shapi* es la fuerza amenazadora del orden presente. A él se asocian los animales y las plantas silvestres y los ámbitos no-sociales en general. Se trata de un personaje ambivalente, al cual se ve como peligroso pero atractivo. Bailarines cajamarquinos adscritos a este personaje como las 'pallas' o los 'negros' son "personajes muy cómicos a los que, durante las fiestas, les están permitidas bromas y travesuras que en una situación normal no se aceptarían jamás".

En jerga anglosajona a estos personajes se les denomina *trickster*, que equivale a 'bromista'. Su característica es trascender el orden estructurado de los sistemas clasificatorios, ubicándose en los

*In some communities in Cajamarca , the Devil is called shapi and is the complementary opposite of amito. While the latter establishes order, the former is a mischievous joker who undoes everything put together by the amito. Ana de la Torre claims the shapi is a force that threatens the present order. The figure is associated with wild animals and plants and non-social environments in general. It is an ambivalent figure, seen as dangerous yet attractive. Dancers in Cajamarca associated with this figure, such as the pallas or negros (blacks), are "very comic figures who, during festivities, are allowed to pull off jokes and pranks which normally would never be accepted".*

*These characters are known as tricksters. They transcend the structural order of classifying systems and reside in no-man's-land, in Limbo. They are common throughout the Andes, from north to south, during festivals. At times they form part of the troupes of buffoon dancers such as the saqras or demons, which accompany the celebrations during the Festival of the Virgen del Carmen in the district of Paucartambo in Cuzco. At other times they are merely jesters dressed in a variety of ways, and in high-pitched voices make on-lookers laugh. They are so skillful as buffoons that they manage to keep large crowds in order through the use of humor. This is the case of the Brotherhood of the ucucus or pauluchas which accompany the famous pilgrimage to the Cuzco sanctuary of Qoyllur Ritt'i. While this religious celebration lasts, one of their duties is to maintain*

intersticios, en 'las tierras de nadie'. A veces son parte de comparsas de bailarines, como aquella de los *saqras* o diablos que acompañan a la Virgen del Carmen en Paucartambo, Cuzco; otras son sólo personajes burlones que –cual eximios payasos y valiéndose de una entonación en falsete– hacen reír a carcajadas a los concurrentes. Son tan notables sus habilidades que logran mantener el orden de un vasto conjunto humano por medio del humor. Es el caso de los *ucucus* o *pauluchas* que se asocian con el famoso peregrinaje al santuario cuzqueño de Qoyllur Ritt'i. Durante los días que dura esta celebración religiosa una de sus responsabilidades es el mantener, látigo en mano, el orden de las cerca de sesenta mil personas que acuden cada año al lugar.

Creo que este repertorio de evidencias, hilvanadas en algunas premisas estructurales, es suficiente para descubrir que estamos lejos de pobladores melancólicos o taciturnos. El hombre andino tiene sentido del humor como cualquier ser humano. Más aún, su valoración de la reciprocidad lo predispone a desarrollarlo estimulando su creatividad. Esto no quiere decir que no existan circunstancias que lo ponen melancólico. De hecho, ellas existen y sus huellas se pueden apreciar en canciones como los *huaynos* y *yaravíes* que, a decir verdad, son andinas pero de corte mestizo.

Que tenemos humor y somos creativos, no cabe la menor duda. Si no contásemos con estas

*order amongst the sixty thousand people who flock to this remote highland spot every year. To back up their authority, these figures wield a whip which they use to great effect between pranks.*

*As Carnival represents a time of Limbo, it is a fitting occasion to celebrate with characters of this kind. This is the case of Puno, which celebrates the Festival of the Virgen Candelaria with tremendous pomp from February 2-11. Here, the figure of the Devil reaches its zenith in urban sectors, and has become the main character in most dance troupes which celebrate this festival nine days afterwards.*

*I believe this collection of evidence, based on some structural premises, is enough to confirm that that these people are far from melancholy or taciturn. Andean Man has a sense of humor just like any other human being. What is more, the importance given to reciprocity spurs the development of a good sense of humor by stimulating his creativity. This does not mean, however, that he does not become melancholic at times. It does happen, and there are signs of that in Andean song forms such as huaynos and yaravíes which are mestizo-influenced.*

*There is no doubt Peruvians have a sense of humor and are creative. If Peru did not have these characteristics, it would not be such a diverse nation, in both a geographical and cultural sense. The pluralist nature of Peru is the clearest sign of Peruvians' capacity to adapt to such a varied environment and historical circumstances that have been both diverse and difficult. Perhaps Peru's*

peculiaridades no seríamos un país tan diverso, no sólo geográficamente sino culturalmente. Nuestro pluralismo es el mejor signo de nuestra capacidad de adecuación a un medio tan variado y a circunstancias históricas tan diversas y difíciles. Quizá nuestra mayor dificultad es que la vertiginosidad de la globalización nos ha tomado por sorpresa y no somos capaces de encararla. Requerimos mejorar nuestros sistemas comunicativos y crear conciencia de que desunidos nunca podremos enfrentar los retos del mundo moderno.

Las magníficas fotografías de Walter H. Wust y los atinados textos de los renombrados autores que forman parte de este libro son un elocuente testimonio del potencial que venimos describiendo entre los pobladores de nuestras tres regiones naturales y entre aquellos que desenvuelven su existencia en medios urbanos y rurales. En ellas no sólo se ven sonrisas, que han motivado mis disquisiciones previas, sino lo que las manos de nuestros conciudadanos pueden lograr. Sonrisas y trabajo manual se unen en una sinfonía de ensayos e imágenes que dan cuenta de nuestra diversidad regional y cultural, de nuestro potencial creativo y, por ende, de nuestra capacidad para salir adelante.

Juan M. Ossio

*greatest obstacle is that the dizzying speed of globalization has taken the country by surprise, and Peruvians have yet to figure out how to face it. In addition to improving Peru's educational system, the country needs to take a fresh look at the solidarity practiced in the country's Andean communities. To do this, Peru will need to upgrade communications links and forge a real awareness that disunited, Peruvians will never be able to face the challenges of the modern world.*

*Walter H. Wust's magnificent photographs and the incisive writings of leading authors included in this book are an eloquent testimony to the potential being discovered amongst the people of Peru's three natural regions and amongst those who live in urban and rural sectors. Not just their smiles, which provoked my thoughts mentioned above, but also what their hands can achieve. Smiles and hard work come together in a symphony of essays and images that speak of Peru's regional and cultural diversity, the nation's creative potential and its capacity to progress.*

*Juan M. Ossio*

De cara al futuro con alegría. Una imagen que quisiéramos ver siempre en los niños del Perú.
*Looking joyfully to the future. The image everyone would like to have of Peru's children.*

# I

# DE PUEBLO Y CHACRA

## *OF TOWNS AND FARMS*

Un joven pastor de alpacas de Sillustani, Puno, observa la mágica visión del lago Umayo y la isla La Mesa.
*A young alpaca shepherd in Sillustani, Puno, gazes at the magical sight of Lake Umayo and the La Mesa Island.*

Trabajo divertido. Estos niños de Ticrapo, Huancavelica, juegan mientras muelen mineral con la ayuda de una gran piedra.

*Work and play. These children in Ticrapo, Huancavelica, play around while they crush mineral with a large rock.*

Un viejo puente colgante divide el pueblo de Satipo de las comunidades asháninkas asentadas en la selva.
*An old hanging bridge divide the small town of Satipo from the ashaninka native communities of the surroundings.*

En la localidad de Cancejos, Huánuco, los troncos de los helechos arbóreos son usados para levantar las viviendas.
*In the locality of Cancejos, Huánuco, the stems of tree ferns are used to build local houses.*

La luz del amanecer baña el viejo ingenio cañero de la hacienda Quicacán, en Tomayquichua, valle del río Huallaga.
*Dawn breaks over the old sugar mill in the Quicacán plantation, in Tomayquichua, Huallaga River Valley.*

Con la llegada de las primeras lluvias, los campesinos de San Marcos, Cajamarca, roturan la tierra con la ayuda de yuntas de bueyes.
*With the first rains beginning to fall, farmers in San Marcos, Cajamarca, till the soil with teams of oxen.*

La diestras manos de esta mujer de la localidad de Cambría, Puno, trabajan los hilos para lograr un hermoso diseño.
*The skilled hands of this woman in Cambría, Puno, work these threads into a beautiful pattern.*

Don Calión, adobero de Puchucuyacu, en el callejón de Conchucos, prepara los bloques de barro para levantar una vivienda para su yerno.
*Don Calión, an adobe bricklayer in Puchucuyacu, in the Conchucos valley, prepares the mud bricks to make a home for his son-in-law.*

Tiempo de cosecha. Una campesina cabana de la localidad de Madrigal, en el valle del Colca, siega su campo de cebada.
*Harvest time. A Cabana woman in Madrigal, in the Colca Valley, scythes her barley field.*

Don Prudencio, poblador de Sihuas, Áncash, observa desde su casa la realización de una *minka* o faena comunal.
*Don Prudencio, a Sihuas villager in Ancash, watches from his home as other villagers take part in a* minka *or communal work bee.*

Como cada mañana, Wilmer ordeña a sus vacas en el poblado de Llámac, Huayhuash. La leche servirá para hacer queso.
*Like he does every morning, Wilmer milks his cows in the village of Llámac, Huayhuash. The milk will be used to make cheese.*

De retorno a casa. Una campesina de Vischongo, en las alturas de Ayacucho, llega con las acémilas cargadas de cebada.
*Coming home. A farmer in Vischongo, in the Ayacucho highlands, bearing bundles of barley sheaves.*

Rumbo a las tierras de pastoreo, un comunero de Zurite, al noreste del Cuzco, coquetea con las sombras que produce el sol matinal.
*On the way to the grazing meadows, a Zurite villager in Cuzco strolls through the shadows spread by the morning sun.*

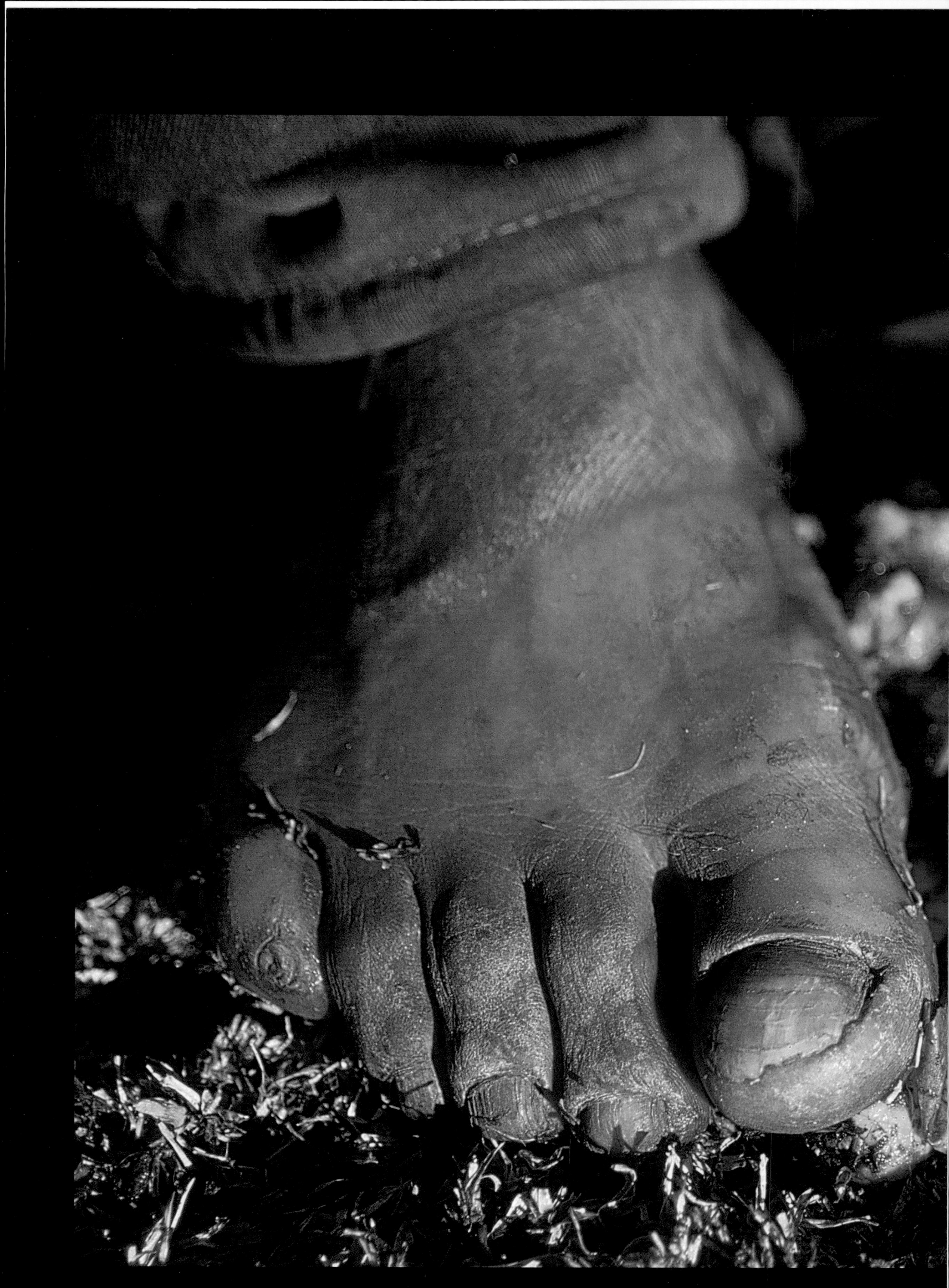

Siguiendo una práctica ancestral, los campesinos de Ccollpa, Puno, pisan la papa helada para preparar el chuño.

*Faithful to their age-old traditions, farmers in Ccollpa, Puno, tread frozen potato to prepare chuño.*

Los *yanques* o sandalias de caucho vulcanizado son compañeros de esta antigua *chaquitaqlla* o arado de pie. Hatuncolla, Puno.
*These yanques, or rubber tire sandals, accompany this chaquitaqlla or foot-plough. Hatuncolla, Puno.*

Juegos de geometría. Como si fueran parte de un *chip* gigantesco, campesinos de Huarocondo cosechan sus campos de papa.
*Geometric patterns. As if they were part of a giant circuit chip, farmers in Huarocondo harvest their potato fields.*

Un transeúnte sonríe ante el insólito rótulo desplegado por un vendedor ambulante en el mercado de Chiclayo.
*A passer by smiles at the unusual sign put up by a street ventor in a Chiclayo market. ("You can look at me from a distance. I am your friend, Pepelucho, if you don´t bother or grals me. Don´t cry if you don´t understand, because I don´t like smart-alecs.")*

Farmacia al aire libre. Colorida venta de plantas medicinales en las afueras del mercado de Belén, Iquitos.

Campesinas de Chuquibamba, Arequipa, ofrecen los tradicionales helados preparados con hielo del volcán Coropuna.
*Villagers in Chuquibamba, Arequipa, selling traditional ice cream made from ice brought down from the Coropuna volcano.*

Una joven pareja de campesinos de Willoq, Cuzco, almuerza en un puesto ambulante de Ollantaytambo.

*A pair of young farmers in Willoq, Cuzco, have lunch at a market stall in Ollantaytambo.*

Un porteador de Patacancha, en el Camino Inca a Machu Picchu, se refresca con un enorme *caporal* de frutillada.
*A porter from Patacancha refreshes himself with a glass of chicha along the Inca Trail to Machu Picchu.*

Una vendedora de estampas espera tiempos de mejores ventas en las afueras de la iglesia de la Virgen del Carmen, Paucartambo.
*A religious trinket vendor awaits better times outside the Virgen del Carmen church in Paucartambo.*

Vestido de fiesta. Detalle en el chaleco de un bailarín en las celebraciones de la Mamacha Carmen, Paucartambo.

*Sunday best. Detail of the vest of a dancer during the Virgen del Carmen festival, Paucartambo.*

Toda la belleza de los bordados de Huallhuas en el tocado de esta danzante de chonguinada en Tarma, Junín.
*Huallhuas embroidery in all its splendor seen in the costume of this dancer during the Chonguinada dance in Tarma, Junín.*

Los mil rostros de la alegría durante la fiesta de La Candelaria. Besos para todos.
*The face of joy during the Candelaria festivities. Hugs and kisses for everyone.*

Paseo de faldas por las calles de Puno. La comparsa dura todo el día.
*A swirl of skirts in the streets of Puno. The dancing will go on all day.*

Toda la plástica y colorido de las polleras de las 'lecheras' waq'a waq'a.
*Colorful petticoats of the Waqía Waqía milkmaids.*

Plumas y tambores. Solemne paso de los danzantes ayarachis de Paratía, Lampa.
*Drums and feathers. The solemn gait of the Ayarachis de Paratía musicians, Lampa.*

# II

# ENTRE EL DESIERTO Y EL MAR

## *THE SEA AND THE DESERT*

Es la hora del crepúsculo invisible. De las altas mareas lilas y moradas, sin sombras y sin luces. El día propiamente ha terminado, pero la noche no llega todavía. Es la hora en que para saber quién eres tengo que preguntarte tu nombre. Las ristras de faroles no se prenden de golpe. Se encienden poco a poco, largas hileras, como las fichas del dominó tumbándose, en silencio, una tras otra. Las luces amarillas de los postes que vienen desde los malecones de La Punta y Chorrillos. Tal vez de más allá. Aquí estoy. Entre el día y la noche. Solitario. Entre el mar y la tierra. Ni un alma se ventea en los acantilados, oscuros y profundos como una boca abierta. Esa vieja casona azul añil, revestida de yeso, es la misma casona de los regocijos en pleno mediodía. Sólo que ahora parece despoblada. Todas las casas del malecón, persianas de madera, teatinas y rosetones de mampostería, se mecen en silencio, congeladas, como si nunca las hubiesen habitado los hombres o las bestias. Nada las diferencia de las olas del mar o de los cielos. La hora sin contrastes. Entre el día y la noche, aquí estoy. Hundiéndome en el aire, cortándolo en tajadas, esperando que la noche, lentísima, ocupe el malecón de una sola vez o, por lo menos, que vuelva el nuevo día. El Pacífico del Sur es el mar más rico de todo el universo. Eso lo sabemos de memoria, sólo que lo olvidamos con

*It is the hour of the invisible twilight. It is a moment of lilac and purple tides, free of shadows and bereft of light. The day is over, but night has not yet closed in. It is a time of day when I have to ask your name to know who you are. The rows of streetlights do not wink on all at once. They light up little by little, in long rows, like dominoes tumbling silently one after another. The amber lights on the lightposts that run from the boardwalks of La Punta and Chorrillos. Maybe from farther beyond.*

*Here I stand. Between day and night. Alone. Between the sea and land. Not a single soul ventures forth along the clifftops, dark and deep as an open mouth. That old blue mansion, lined with plaster, is the same old house that bursts with life at noon. But now it appears deserted. All the houses along the seafront, with their wooden shutters, skylights and rosettes of masonry, stand silent, frozen, as if they had never been inhabited by either man or beast. Nothing sets them apart from the waves or the sky above them. It is a moment of contrasts. Between day and night, here I stand. Sinking into the air, cutting it into slices, waiting for the sluggish night to take over the boardwalk for once and for all, or at least for the new day to dawn.*

Varada en las arenas de Cabo Blanco, Piura, una chalana es reparada antes de volver a hacerse a la mar.
*Beached on the sands of Cabo Blanco, Piura, a launch undergoes some repair work before returning to sea.*

Niños de Tambo de Mora, Chincha, observan absortos los preparativos de un vuelo en globo aerostático.
*Children in Tambo de Mora, Chincha, watch fascinated as pilots prepare to lift off in their hot air balloon.*

frecuencia. Por eso, cuando echamos nuestras redes entre los altos tumbos verdinegros, siempre nos asombra el milagro de la multiplicación. Todo es peces y mariscos en estas aguas del Señor. La pesca, como quien dice la pesca, es un oficio cotidiano. Eso nos da para comer. Con los botes-zapato nos adentramos casi hasta el horizonte, pero con los botes barrigones, y su quilla, nos vamos más allá de donde acaba el mar. Es la ley de la vida. Hay veces, sin embargo, que nos dedicamos a la cala. Entonces, por parejas nos hacemos a la mar. Cada uno montado en su balsa de troncos amarrados o su caballito de totora. Los pescadores entran, paralelos, a unos cien metros de distancia más o menos. Ambos toman de cada punta una gran red, que arrastran extendida entre los dos. Pasadas las primeras olas, comienza el agua plana. El peso de la red engorda, poco a poco, en el camino. Al cabo de bogar por un buen tiempo, el peso de la red es contundente. Es la hora de regresar a tierra. Entonces no sabemos, en realidad, qué animalitos nos ha brindado el mar. La vida misteriosa del océano se agita entre las redes. Y bogamos de vuelta con nuestro generoso cargamento. En la playa, los vemos a lo lejos, ya nos espera una multitud. Una vez llegados a la orilla, una veintena de muchachos, o más, depende del peso, tira de los dos extremos de la red. Es cosa de jolgorio. Y de pujar. Si la corriente es benigna, la faena tomará

*The South Pacific is the richest ocean on Earth. We know that from memory, but often forget. So when we cast our nets into the greenish-black waves, we are always taken aback by the miracle of multiplication. All is fish and shellfish in these waters of the Lord.*

*Fishing, as fishing goes, is a daily chore. It puts food on the table. With our shoe-shaped boats, we head out on the horizon, but with the big-bellied boats, and their keels, we sail off beyond where the sea ends. It is the law of life. Sometimes, we dive instead. In pairs we take to the sea. Each of us astride a log raft or reed canoe. The fishermen enter the sea in parallel, around 100 meters away from each other. Both grab one end of a large net and drag it. Once they get past the first breakers, the ocean is calm. The net begins to weigh down gradually along the way. After paddling for some time, the net weighs heavily. It is time to get back to dry land. But we still do not have any idea what creatures the sea has yielded.*

*The mysterious life forms of the ocean thrash within the net. And we paddle back with our generous haul. Back at the beach, we see a distant crowd waiting. Once we land our rafts, around 20 young lads or more, depending on the weight, drag in both ends of the net. It is a joyous occasion. And a great deal of pulling. If the sea currents*

Toda la hospitalidad y alegría de los pescadores de la pintoresca caleta artesanal de Santa Rosa, Lambayeque.
*Cheerful hospitality amongst fishermen in the picturesque cove of Santa Rosa, Lambayeque.*

Un agricultor cultiva su arrozal a la sombra de las bellas palmeras de coco en la localidad de Marcavelica, Sullana.
*A farmer planting rice in the shadow of leafy coconut palms in Marcavelica, Sullana.*

Un pescador artesanal prueba suerte apostado en una de las salientes de roca de La Catedral, en Paracas, Ica.
*A fisherman tries his luck on one of the rocky points off La Catedral, in Paracas, Ica.*

sólo una hora. Es cuestión de jalar y de aflojar,
de aflojar y de jalar, de acuerdo a las mareas.
Al final, llega la red con su preciosa carga
hasta los bordes de la arena mojada,
territorio del cangrejo carretero y del muymuy. No
hay más que ver cómo saltan las corvinas, las
mojarrillas, los pámpanos, las cojinovas, los sucos, los
lenguados, boqueando moribundos en el aire. La red
también suele arrastrar, de refilón, grandes cangrejos
azules, jaibas, calamares. Recuerdo que, una vez,
trajimos de la mar un luminoso pez espada.

A mí que no me vengan con paisajes de almanaque:
los verdes bosques y las campiñas verdes, las montañas
nevadas y un riachuelo azul. Lo mío es el desierto.
Inmensos territorios amarillos, que se pierden más allá
de los cuatro horizontes. Ocres, rojos, sepias, cobres,
terracotas. Algunas veces, también, el desierto es
de un blanco deslumbrante. Sin médanos o dunas que
proyecten su sombra de metal. En cualquier caso, yo sé
que estoy en el desierto cuando mi sombra, exacta entre
los arenales, no se confunde con ninguna otra señal. No
es el brillo del sol, son las siluetas cortadas con navaja
bajo la luz del sol. Mapa de arena. Paisajes tumultuosos
o serenos, sin plantas ni animales, como en la cara
oculta de la luna. Reino de las mareas y corrientes que
recorren invisibles los mares agitados de la arena.
Silencio deslumbrante del desierto.
Silencio de tu propio corazón.

Antonio Cisneros

*are kind, the fishing will only take an hour. It is all about pulling and releasing, pulling and releasing, according to the tides. Finally, the net with its precious cargo reaches the edge of the damp sand, home to crabs and other shellfish. The net is teeming with croakers, pompano, blackruff, flounder, gasping in their death throes. The net also often drags in large blue crabs, octopus and squid. I remember once we caught a shining swordfish.*

*Don't tell me about picture postcard landscapes: rippling forests and green meadows, snow-capped mountains and clear blue rivers. The desert is my world. Vast yellow territories, fading into the distance. Ochre, red, faded brown, copper, terracotta. Sometimes, the desert can turn a blinding white. Stripped of sand dunes that could cast a metal-tinted shadow. In any case, I know I'm in the desert when my shadow, which falls precisely across the sands, does not clash with anything else. It is not the sun, it is the silhouettes slashed with a knife in the sunlight. A map of sand. Landscapes, whether tumultuous or serene, void of plants or animals, like the hidden face of the moon. Queen of the tides and currents that flow imperceptibly through the wild seas of sand. The overwhelming silence of the desert. The silence of your own heart.*

*Antonio Cisneros*

Una tarde en el arrozal de Bellavista, Amazonas. La familias enteras trabajan en el trasplante de los almácigos.

*An afternoon in the rice paddies of Bellavista, Amazonas. The whole family works to transplant the shoots.*

Una curiosa imagen se crea al sacudir el lodo de las raíces húmedas de las matas. Es preciso trasladar los plantones hasta los campos de siembra.

*A farmer, draws a picture in the air while shaking the mud off the damp roots. Now it is time to take the shoots to the fields for planting.*

Ajeno al estruendo de las olas, un niño de El Chaco, Paracas, juega saltando una y otra vez desde el muelle artesanal.

*Oblivious of the crashing waves, a boy in El Chaco, Paracas, jumps off the pier.*

Imágenes de nuestra costa. Campesinos de Mallaritos retornan cargados de forraje. Una singular cuna móvil en Huayurí, Nazca.

*Images of the Peruvian coastline. Mallaritos villagers return from the fields loaded with chaff. An original mobile cradle, Huayurí, Nazca.*

Desayuno en Huanchaco. Un poblador de Quebrada Seca, en Tumbes, observa desde su casa de tablillas de guayacán, en plena construcción.

*Breakfast in Huanchaco. A villager in Quebrada Seca, in Tumbes, looks out from the home he is building from guayacán wood planks.*

Un agricultor de Tambo Grande, Piura, se toma un descanso luego de una larga jornada en los limonales.
*A farmer in Tambo Grande, Piura, takes after a break after a long day working in the lemon orchards.*

Niños de San José, en el valle de Ingenio, Nazca, posan delante de la vieja iglesia colonial del pueblo.
*Children in San José, in the valley of Ingenio, Nazca, pose in front of the town's old colonial church.*

ZS2800BM
TA.0142 BM

Pescadores de Máncora, Piura, intentan botar al mar una chalana recién reparada. Sin la ayuda, la tarea sería imposible.
*Fishermen in Máncora, Piura, struggle to launch a newly-repaired boat. It would be impossible without everyone pitching in.*

Juegos en plateado. Niños de la caleta de Huanchaco, Trujillo, se divierten en la orilla al atardecer.

*Silver playground. Children in the cove of Huanchaco, Trujillo, having fun by the seashore at sunset.*

Cala de un chinchorro en Puerto Perdido, Áncash. Son necesarios cerca de quince hombres para recuperar la red.
*Fishermen at work in Puerto Perdido, Ancash. It takes 15 men to haul in the fishing net.*

# III

## GENTE DE LAS ALTURAS

## *LIFE IN THE HIGHLANDS*

Escalera al cielo. Atrio de la iglesia colonial de San Francisco, en la ciudad de Huancavelica.
*Stairway to Heaven. Cloister of the colonial church of San Francisco, in the city of Huancavelica.*

Amanece en el frontis del templo de San Pedro de Andahuaylillas, en el valle del Vilcanota, Cuzco.
*Dawn breaking over the façade of the San Pedro de Andahuaylillas church in the Vilcanota Valley, Cuzco.*

Una campesina camina a prisa a través de la calle Hatun Rumiyoq, Cuzco, sin notar la presencia de la famosa piedra de los doce ángulos.
*A peasant woman hustling down the Inca street of Hatun Rumiyoq, Cuzco, without a glance at the famous 12-angled stone.*

Una pequeña vendedora de recuerdos de la comunidad Uros-Chulluni del Titicaca espera la llegada de los turistas.
*A small souvenir vendor in the village of Uros-Chulluni near Lake Titicaca awaits the arrival of tourists.*

Rosa y su pequeño hijo, William, se calientan con el sol de la tarde frente a su casa en una de las islas flotantes del Titicaca
*Rosa and her son William bask in the afternoon sun in front of their house on one of the floating islands on Lake Titicaca.*

Haciendo un alto en su recorrido, estos pequeños pastores de Hualla Hualla, Puno, reúnen a su ganado.
*These small shepherds from the village of Hualla Hualla, Puno stop to gather their flock.*

Juego de formas. Bosque de piedras de Torre Torre, en las afueras de la ciudad de Huancayo, Junín.
*Haphazard shapes. Torre Torre stone formations on the outskirts of the city of Huancayo, Junín.*

Juego de texturas. Granito pulido por la erosión en una de las riberas del Alto Apurímac, en Suykutambo, Cuzco.
*Textures. Granite polished by erosion on the bank of the Apurímac River, in Suykutambo, Cuzco.*

Una mujer de Coata, Puno, ataviada con su típica montera de origen colonial, sale al frío de la helada matinal.
*A villager in Coata, Puno, clad in a traditional colonial shawl, heads out into the early morning cold.*

Caserío de Laramani, en las alturas de Arequipa y Cuzco. El viento aquí suele arrancar los techos de las viviendas.
*Village of Laramani, in the highlands between Arequipa and Cuzco. Powerful gusting winds here can rip the roofs off homes.*

Una pastora de Huacarpay, Cuzco, sostiene con cariño un borrego nacido en el campo hace algunas horas.
*A shepherdess from Huacarpay, Cuzco, carefully holds a lamb born in the fields hours earlier.*

Víctor, pastor de Patapampa, Arequipa, y su inusual mascota: un zorro andino o *atoj.*
*Victor, a shepherd from the village of Patapampa, Arequipa and his unusual pet: an Andean fox or or* atoj.

Paula, nieta de Melchor Pino, descubridor del sitio arqueológico de K'anamarca, frente a su tesoro.

*Paula, the granddaughter of Melchor Pino, discoverer of K'anamarca, in front of the site.*

Embarcación a orillas de la laguna Querococha, en la ruta entre las localidades de Cátac y Chavín, Áncash.
*A boat by the banks of Lake Querococha, between the villages of Cátac and Chavín, Ancash.*

Un comunero busca un lugar para pescar truchas en la localidad de Virginíoc, a orillas del Alto Apurímac, Cuzco.
*A villager hunts for a spot to fish for trout in Virginíoc, by the banks of the Apurímac River, Cuzco.*

Evidencias de una cruda noche de invierno en una vivienda en las alturas de Huachón, Pasco.
*Signs of a bitter winter on a home in the Huachón highlands, Pasco.*

Un joven pastor de Huanaqpatay, Huayhuash, muestra su último descubrimiento: un fósil halado en el camino.
*A young shepherd from Huanaqpatay, Huayhuash, shows off his latest find: a fossil found along the way.*

Don Julián, pastor de Cacananpunta, cordillera Huayhuash, ha pasado sus ochenta años en estas alturas.
*Don Julián, a shepherd from Cacananpunta, in the Cordillera Huayhuash, has spent his 80 years in these highlands.*

Un rebaño de ovejas perteneciente a la comunidad de Pachacayo se congrega antes de iniciar la esquila.
*A flock of sheep from the community of Pachacayo gathers before shearing.*

Trilla de quinua con la ayuda de un viejo mazo de madera a orillas del lago Titicaca, Puno.
*Quinoa threshing with the help of an old wooden hammer by the banks of Lake Titicaca, Puno.*

Don Rosendo, tejedor de Llachón, Puno, y su obra en preparación: una frazada de lana de alpaca.
*Don Rosendo, a weaver from Llachón, Puno, and his ongoing work: an alpaca wool blanket.*

# IV

## CON SABOR A SELVA
## *WITH A TASTE OF THE JUNGLE*

Don Melchor, fabricante de flechas del río Yavarí, enseña su oficio tradicional a su nieta, Evelyn.
*Don Melchor, an arrow maker along the Yavarí River, teaches his traditional trade to his granddaughter Evelyn.*

El barro amarillo de esta vivienda en construcción Lamas, San Martín, reluce con la luz del atardecer.
*The yellow mud used in this home being built in Lamas, in San Martín, shines in the evening sun.*

Ropa tendida. Luego de ser lavada en el río, las prendas de esta familia lamista de El Huayku se secan al sol de la tarde.
*Hanging out the washing. After being washed in the river, the clothing of this Lamas family in El Huayku dry in the afternoon sun.*

En tiempo de creciente el río Itaya toma las calles del pueblo de Belén, en las afueras de la ciudad de Iquitos.
*In the rain season, the Itaya River floods the streets of the district of Belén, on the outskirts of the city of Iquitos.*

Niños de la selva. Jenny, nativa culina, y su mascota: una tortuga motelo. Píter, del pueblo huampis, posa frente a un cántaro de barro cocido.
*Children of the jungle. Jenny, a Culina native, and her pet: a river turtle. Píter, from the Huampis community, poses with a clay jar.*

Segundo, joven matsiguenka, y su reciente adquisición: un bebé coatí. La mirada juguetona de Carlos, nativo awajún, entre las hojas de yuca.

*Segundo, a young Matsiguenga, and his recent acquisition: a young coati The playful expression of Carlos, an Awajún native, amidst the manioc fronds*

Agustín Mishaja muestra sonriente su cena: un impresionante ejemplar de chambira pescado en Baltimore, Tambopata.
*Agustín Mishaja shows off his dinner: an impressive sample of chambira caught in Baltimore, Tambopata.*

El patio de atrás de los awajún del Marañón. Paisaje selvático en las orillas del río Nieva, Amazonas.
*The Awajúns' backyard in the Marañón River. Jungle landscape by the banks of the Nieva River, Amazonas department.*

Don José, nativo huitoto posa bajo una hoja de ungurahui en la trocha que conduce a su vivienda, a orillas del Putumayo.
*Don José, a Huitoto native poses beneath an ungurahui leaf along the trail that leads to his home, by the banks of the Putumayo River.*

Con las aguas crecidas, queda poco que hacer sino observar a los peces comiendo bajo la sala. Yanayacu, Loreto.
*When the river is in full spate, there is little to do but to watch the fish feeding beneath the living room. Yanayacu, Loreto.*

Atardecer en las afueras de Ciudad Constitución, a orillas del río Palcazú, un tributario del Pachitea.
*Sundown on the outskirts of the town of Constitución, on the shores of the Palcazú, a tributary stream of the Pachitea River.*

# V

# MANOS QUE HABLAN
## *THE LANGUAGE OF THE HANDS*

Toco una mano
y toco todas las manos de la tierra.

*I touch a hand*
*and I touch all the hands on Earth*

*Washington Delgado*

Las manos son el universo, son el vínculo entre lo que damos y lo que recibimos, son las hacedoras de los mundos paralelos que creamos a través del trabajo artístico, son el reflejo de lo que sentimos y de lo que hacemos.

Al hundir las manos en pinturas, acrílicos, aceites y barro, una segunda piel las cubre y, así, las manos van mas allá de los instrumentos, se transforman en una bendición, se vuelven la comunicación ante lo mudo, la fuente vibrante de magia...

Las manos no mienten, nos narran sus historias a veces ásperas, a veces tiernas. Las historias de las manos del Perú son historias de dedos fuertes que se unen a la tierra durante la cosecha, son también hábiles a la hora de enhebrar los mantos multicolores y cálidas al momento de darnos abrigo.

En el Perú las manos se confunden con el paisaje. Se mimetizan en largas jornadas de trabajo: pieles curtidas por el sol, intensos matices dibujados con surcos y cicatrices que se van cubriendo de arcillas, hilos, metales, cañas, lanas. Son manos que se van fundiendo con el hombre y su destino hasta llegar a confundirse entre los colores y las formas de la labor diaria, donde arte y vida parecen convivir dentro de un sagrado pacto.

*Hands represent the universe, the link between what we give and what we receive, they are the makers of parallel worlds that we create through the work of artists, they are the reflection of what we feel and what we do. When we plunge our hands into paint, acrylic, oil and mud, they are covered by a second skin, and thus our hands are more than just mere instruments –they become a blessing, a form of communication in a mute world, the vibrant source of magic. Hands do not lie. They tell a tale, sometimes bleak, sometimes tender. The story of the hands of Peru is the story of powerful fingers which dig through the soil during the harvest, but which are also skillful when knitting the multi-colored warm blankets that shelter us from the cold.*

*In Peru, hands blend in with the landscape. They come together in long workdays: skin burned dark red by the sun, deep patterns slashed into furrows and scars that are covered with clay, threads, metal, cane, wool. These hands are a part of Man, and they are destined to intermingle with the colors and shapes of their daily chores, where art and life itself co-exist in a sacred pact.*
*At times, hands can also resemble monuments,*

En algunos momentos las manos también se vuelven monumentales, se alzan como pétreos contornos cortados por el frío y la sal, contrastados por el intenso amarillo de las mazorcas de maíz. Son manos viejas talladas por los años, sin embargo, no han perdido el tacto ante la delicada figura de un retablo o la suave tersura de la vicuña.

Las manos del Perú son los tesoros silenciosos que nos abren las puertas y, sin querer, nos trazan caminos más allá de los idiomas y las culturas: el Perú artesano, el Perú obrero, el Perú campesino, el Perú que nos acoge, el Perú que iremos formando gracias a ellas.

Eduardo Tokeshi Namizato

*standing out like petrified contours cracked by the cold and salt, a vivid contrast with the intense yellow hues of the corncobs. These aged hands have been sculpted by time, but they have not lost their touch when bringing to life the delicate figure of a retablo scene or when working with the silky softness of vicuña wool. The hands of Peru are the silent treasures which open doors and, unconsciously, trace paths beyond language and culture: the Peru of craftsmen, the Peru of the workers, the Peru of the farmers, the Peru which makes us at home, the Peru which we will build thanks to them.*

*Eduardo Tokeshi Namizato*

Manos de tradición. Lucila, comunera de Llachón, emplea la *pushka* para hilar a orillas del lago Titicaca.
*Hands of tradition. Lucila, a Llachón villager, uses the* pushka spindle *to weavenear Lake Titicaca.*

Manos de la tierra. Campesino de la península de Capachica, Puno, muestra orgulloso su cosecha de papas.
*Hands of the earth. A farmer on the peninsula of Capachica, Puno proudly shows off his potato harvest.*

Manos que tejen. Los dedos manchados de anilina de esta tejedora aymara atestiguan largos años de trabajo en el telar.
*Hands of a weawers. The fingers stained with dye of this Aymara weaver are the result of years of hand work at the loom.*

Manos que sienten. Don Rosendo Ilasaca 've' con las yemas de sus dedos, mientras revisa el acabado de un manto de alpaca.
*Hands that can feel. Don Rosendo Ilsaca checks the finishing on an alpaca shawl with his fingertips.*

Mimetizados con su cosecha de oca, los diestros dedos de este agricultor de Cotahuasi palpan los tubérculos mientras se secan al sol.
*Indistinguishable from his oca harvest, the skillful fingers of this Cotahuasi farmer tests the tubers as they dry in the sun.*

Manos de fiesta. Un danzante o *ukuko* se toma un descanso durante la celebración de La Candelaria.
*Festive hands. An* ukuko *dancer takes a breather during the celebrations of La Candelaria.*

Manos de espera. Una mujer aymara aguarda la llegada de su marido, un pescador del lago Titicaca.
*Waiting hands. An Aymara woman awaits the arrival of her husband, a Lake Titicaca fisherman.*

Mazorcas de *sara* o maíz dorado, recién arrancadas a la tierra, son ofrecidas a los visitantes en Písac, Cuzco.
*Visitors are offered freshly-harvested golden corncobs in Písac, Cuzco.*

Manos de trabajo. Un campesino hace una pausa durante la trilla de cebada en los campos de Raqchi, Cuzco.
*Working hands. A farmer takes a breather from barley threshing in the fields of Raqchi, Cuzco.*

Manos de devoción. Una joven mujer andahuaylina sujeta los cascabeles de metal durante una misa en quechua en Casinchihua.
*Hands of devotion. A young Andahuaylas woman holds a set of bells during Mass held in Quechua in Casinchihua.*

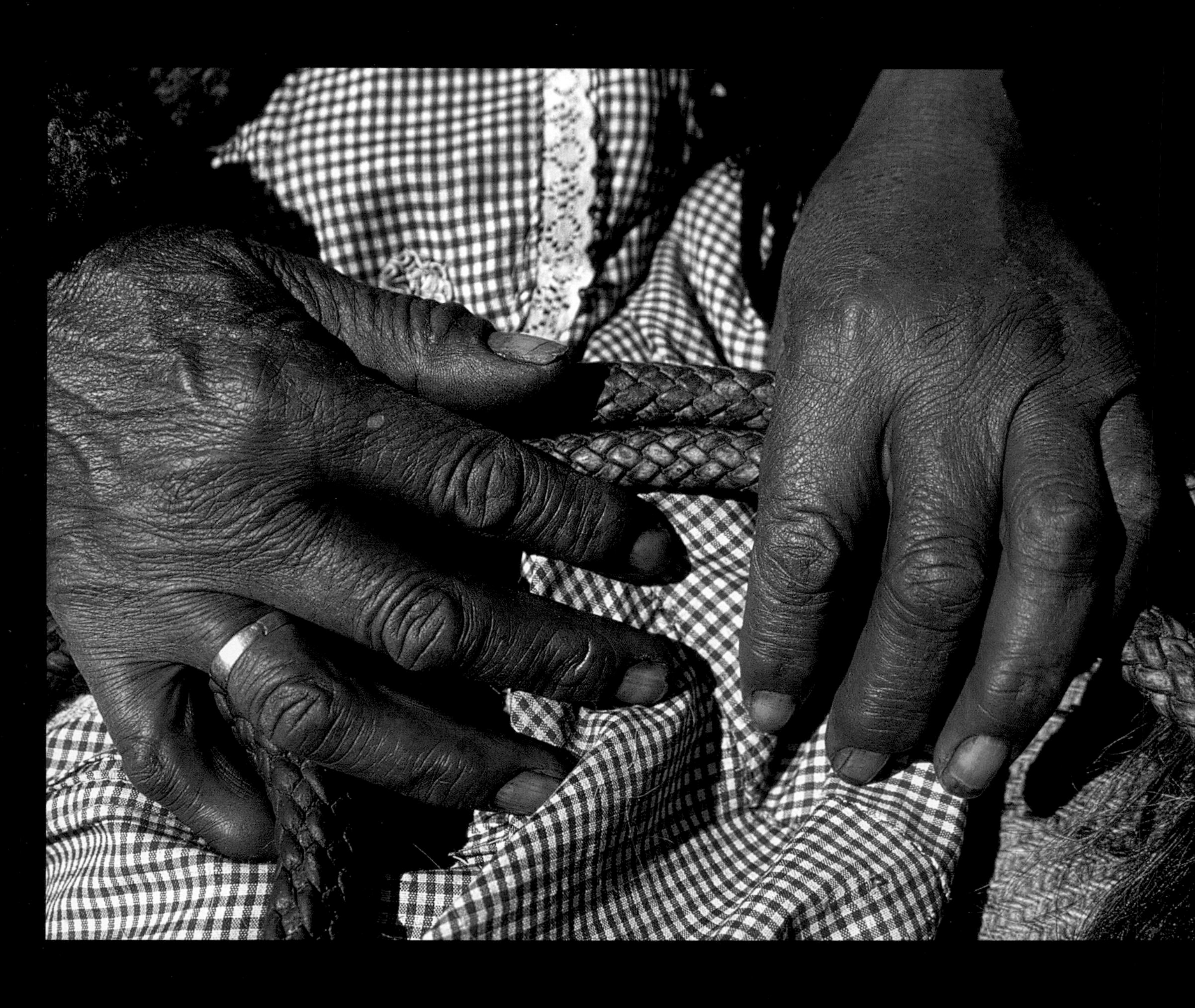

Manos de amazona. Doña Rigeza Huamán, pastora de la comunidad de Seccha, Huánuco, sujeta con suavidad las riendas de su recio caballo serrano.
*Hands of a rider. Doña Rigeza Huamán, a shepherdess in the community of Seccha, Huánuco, gently grips the reins of her highland mount.*

Manos de sal. Los dedos ágiles de don Mercedes, el más antiguo pescador de la caleta de Huanchaco, reparan los agujeros de su red de pesca.

*Salt-crusted hands. The agile fingers of Don Mercedes, the oldest fisherman in the cove of Huanchaco, repair the holes in his fishing net.*

El trabajo en el campo ha dejado sus huellas en las manos de doña Asunta, una anciana de la localidad de Aguas Claras, San Martín.
*The hard work in the fields have left their mark on the hands of Doña Asunta, one of the village elders in Aguas Claras, San Martín.*

# ACERCA DE LOS AUTORES
# ABOUT THE AUTHORS

**JUAN OSSIO A.**

Lima, 1943. Antropólogo. Graduado en historia en la Pontificia Universidad Católica del Perú y en antropología en la Universidad Nacional Mayor de San MArcos. Cuenta con un doctorado en Antropología en la Universidad de Oxford. Es catedrático principal de la Pontificia Universidad Católica del Perú y ha sido profesor visitante de la Universidad de Chicago, la Universidad de Virginia, el L'Ecole des Haut Etudes de París y el Aula Bartolomé de las Casas de la Casa de América en Madrid. Profesor Honorario de la Universidad Nacional de San Antonio Abad del Cusco y becario de la Guggenheim Foundation, la Wenner-Gren Foundation for Anthropological Research y de la Fundación Ford. Es autor de los libros: *Ideología mesiánica del mundo andino, Los indios del Perú, Las paradojas del Perú oficial, Empresas mineras y poblaciones rurales.*

**ANTONIO CISNEROS**

Lima, 1942. Poeta, periodista y traductor, se doctoró en letras en la Universidad Nacional Mayor de San Marcos (1974). Ha sido profesor de literatura en universidades nacionales y extranjeras. Premio Nacional de Poesía en 1965, mereció el Premio Casa de las Américas en 1968 por su poemario *Canto ceremonial contra un oso hormiguero.* En 1980 obtuvo la Primera Mención Internacional de Poesía Rubén Darío de Nicaragua y, recientemente, el Premio Mistral otorgado

***JUAN OSSIO A.***

*Studies in history at Peru's Católica University; Studies in anthropology at San Marcos University; Doctorate in Anthropology at Oxford University; professor at the Católica University; Visiting professor at the University of Chicago; Visiting professor at the University of Virginia; Visiting professor at L'Ecole des Haut Etudes, Paris; Visiting professor at the Aula Bartolomé de las Casas, Casa de América in Madrid; Honorary professor at Cuzco's San Antonio Abad University; Scholar: Guggenheim Foundation, Wenner-Gren Foundation for Anthropological Research and the Ford Foundation. Author of numerous publications, including the following books:* Messianic Ideology in the Andean World; Structural Violence: Anthropology; Relations, Reciprocity and Hierarchy in the Andes; The Native Indians of Peru; Paradoxes of Official Peru; Mining Companies and Rural Communities. *Ossio has also written over 80 articles which have been published in books and publications in Peru and abroad.*

***ANTONIO CISNEROS***

*Lima, 1942. Poet, journalist and translator, holds a Ph.D. from Lima's San Marcos University (1974). He has taught literature at universities in both Peru and abroad. He was awarded the National Poetry Prize in 1965 andthe Casa de las Américas award in 1968 for his collection of poems* Canto Ceremonial contra un Oso Hormiguero.

por las Naciones Unidas. Ha publicado diez libros de poesía, reunidos bajo el título *Poesía reunida* y es también autor de *El arte de envolver pescado* y *El libro del buen salvaje*. Actualmente conduce programas culturales en la televisión y radio peruanas y colabora con crónicas personales y artículos de opinión en periódicos y revistas.

**EDGARDO RIVERA MARTÍNEZ**

Jauja, 1933. Escritor originario de la sierra central, es autor de las novelas *País de Jauja*, considerada por la revista Debate como la novela más importante de la década de 1990 en la literatura peruana, y *El amor y las profecías*, además de varios libros de relatos de temática principalmente andina, crónicas y estampas de viaje, como *Leónce Angrand: una imagen del Perú en el siglo XIX, Hombres, paisajes, ciudades*, entre otros. Como docente, ha sido profesor de la Universidad de San Marcos y de las universidades de Tours y Caen, Francia, y Iowa, Estados Unidos. Ha investigado temas de literatura de viaje y publicado los cuentos: *El unicornio, El visitante, Azurita, Historia de Cifar y de Camilo*, y *El ángel de Ocongate*, ganador del concurso El Cuento de las Mil Palabras (1982). Su obra ha sido reunida en un volumen de homenaje reuniendo estudios de importantes narradores y estudiosos: *De lo andino a lo universal: la obra de Edgardo Rivera Martínez.*

*In 1980 he received an honorable mention for the Rubén Darío International Poetry award in Nicaragua and recently earned the Mistral award conferred by the United Nations. He has published 10 books of poetry, gathered in the collection* Poesía Reunida, *and is author of* El Arte de Envolver Pescado *and* El Libro del Buen Salvaje. *He currently hosts cultural programs on Peruvian radio and television and writes personal narratives and opinion columns in newspapers and magazines.*

***EDGARDO RIVERA MARTÍNEZ***

*Jauja, 1933. Born in the central highlands, he is author of* País de Jauja, *hailed by the publication* Debate *as the most important novel published in the 1990s in Peruvian literature, and* El Amor y las Profecías, *in addition to several collections of Andean tales, chronicles and travel stories such as* Leónce Angrand: una Imágen del Perú en el Siglo XIX; *y* Hombres, Paisajes, Ciudades, *among others. He has taught at the universities of San Marcos (Peru), Tours and Caen (France) and Iowa (USA). He has published research in travel literature and published two short stories:* El Unicornio, El Visitante, Azurita, *and* El Angel de Ocongate, *winner of the* El Cuento de las Mil Palabras *short story competition in 1982. His work appears in a collection to pay homage to leading writers and academics:* De lo Andino a lo Universal: la Obra de Edgardo Rivera Martínez.

**WALTER H. WUST**

Lima, 1967. Ingeniero forestal, analista de temas ambientales, fotógrafo, editor y periodista. Ha publicado varias decenas de artículos científicos en revistas especializadas sobre ecología y recursos naturales, más de cuarenta libros y cerca de un millar artículos en libros y revistas del Perú y el extranjero, entre ellas la sección Conservación en América Latina de The National Geographic Magazine, Geomundo, Terra, Geo, entre otros. Desde hace poco más de un año, Wust es la imagen institucional de Mitsubishi Motors en su campaña *Mitsubishi te acerca al Perú*, dirigida a fomentar el turismo por carretera al interior del Perú.

**EDUARDO TOKESHI**

Lima, 1960. Artista plástico graduado de la Universidad Católica. Cultiva la abstracción libre y se distingue por el empleo de técnicas mixtas que incluyen elementos escultóricos incorporados al soporte plástico. Ha presentado numerosas exposiciones individuales y colectivas, entre ellas la II Bienal de Arte de Cuenca, la XXIII Bienal de Sao Paulo, la VI Bienal de La Habana y la Bienal de Lyon. Ganador del primer puesto en el Salón Internacional de Estandartes, Tijuana, México (1996) y de una mención honrosa en el XXVII Festival Internacional de la Peinture, Château-Museé de Cagnes-sur-Mer, Francia, entre otros.

***WALTER H. WUST***

*Born in Lima in 1967. A forestry engineer, analyst of environmental issues, wildlife photographer, editor and journalist. Wust has published more than 40 books on ecology and communities in Peru. His most recent works include:* The Encyclopedia of Natural Sanctuaries in Peru; The Inca Guide to Peru's Beaches; The Department Atlas of Peru; The Inca Guide to Cuzco; Natural Sanctuaries in Peru; Tumbes and the Northwest Forests; Choquequirao, the Golden Cradle, *among others.*

***EDUARDO TOKESHI***

*Lima, 1960. An artist, graduate of Lima's Católica University. His work delves into free abstraction and involves mixed techniques with elements of sculpture incorporated into his paintings. He has presented several individual and collective exhibitions, including the II Cuenca Art Viennale, the XXIII Sao Paulo Viennale, the VI Havana Viennale and the Lyon Viennale. First Prize at the Estandartes International Salon, Tijuana, Mexico (1996) and an honorable mention at the art festival of the XXVII Festival Internacional de la Peinture, Château-Museé de Cagnes sur-Mer, France, among others.*

# INFORMACIÓN FOTOGRÁFICA
## PHOTOGRAPHIC INFORMATION

A

B

C

D

E

A. Portada, Pequeño campesino de la comunidad de Llachón., península de Capachica, Puno.
*A small villager in the community of Llachón, Capachica peninsula, Puno.*

B. Pág. 4, Rumbo al Candamo. Embarcación ese'eja surca las aguas del cañón del río Távara, Puno.
*Headed for the Candamo. An Ese'eja boat braves the waters through the canyon of the Távara River, Puno.*

C. Pág. 16, Comuneras de Puca Puca, Andahuaylas, durante la celebración del carnaval apurimeño.
*Puca Puca villagers, Andahuaylas, during the celebration of the Apurímac carnival.*

D. Pág. 21, El lodo y el intenso calor no son obstáculo para que esta niña se divierta mientras ayuda a sus padres.
*The mud and intense heat do not stop this little girl from having fun while she helps her parents.*

E. Pág. 34, Jóven colono del río Avisado, Alto Mayo, con fruto de macambo recién cosechado.
*A young farmer along the Avisado River, in the Upper Mayo Valley, with freshly-harvested macambo fruit.*

F

G

H

I

J

K

L

F. Pág. 39, Sonrientes niñas a la entrada del poblado de Pocpa, cordillera Huayhuash, Áncash.
*Smiling children at the entrance to the village of Pocpa, in the Cordillera Huayhuash, Ancash.*

G. Pág. 83, Un niño de la caleta San Andrés, Pisco, observa la llegada de las chalanas a puerto.
*A child in the cove of San Andrés, Pisco, watches as fishing boats come to shore.*

H. Pág. 103, Embarcación de totora en la localidad de Chimu, Puno, a orillas del lago Titicaca.
*Totora reed raft in Chimu, Puno, beside Lake Titicaca.*

I. Pág. 137, Nativo cocama en faena de pesca con arpón o *fisga* en el lago El Dorado, Loreto.
*Cocama native fishing with a* fisga *harpoon on Lake El Dorado,Loreto.*

J. Pág. 163, Faja bordada o *chumpi* en manos de una jóven cuzqueña en la localidad de Ocongate.
Chumpi *embroidered sash in the hands of a young Cuzco villager in Ocongate.*

K. Pág. 189, Danzante o *china* durante los pasacalles de la fiesta de La Candelaria, Juliaca .
*Dancer during the celebration of the Candelaria festival, Juliaca .*

L. Pág. 189, Mujer campesina en el puente colonial de Paucartambo, Cuzco .
*Villager on the colonial bridge of Paucartambo, Cuzco.*

# AGRADECIMIENTOS
## ACKNOWLEDGEMENTS

ACCA, Albergue Rural Isla Suasi, Amazon Cruises, familia Brack, Gerd Burmester, Alejandro Camino, Alfonso Casabonne, Germán Coronado, familia Croquet, Anne Deberte, Manuel Dejaviso, María Luisa Del Río, Dirección General de Capitanías y Guardacostas, Alexander Funcke, Martha Giraldo, Globos de los Andes, Carlos Gonzáles, Jeff Hall, INC, Inkanatura, Inkaterra, INRENA, Carlos Lema, Íñigo Maneiro, Patricia Majluf, MC Autos del Perú, Mirador de los Collaguas, Agustín Mishaja, Eulogio Peña, Proabonos, Profot, ProNaturaleza, Puerto Palmeras, Rainforest Expeditions, José Reynafarje, Sergio Reynafarje, Renzo Uccelli, Any y Antonio Vellutino, Paul Wright, Natali, Mark y Michelle Wust, Alfredo Yoshimoto, Willy Yoshimoto.

Pobladores de las caletas de la costa, comunidades campesinas de los Andes y pueblos indígenas de la Amazonía peruana.

*ACCA, Albergue Rural Isla Suasi, Amazon Cruises, the Brack family, Gerd Burmester, Alejandro Camino, Alfonso Casabonne, Germán Coronado, Croquet family, Anne Deberte, Manuel Dejaviso, María Luisa Del Río, the Harbor Captain and Coastguard Department, Alexander Funcke, Martha Giraldo, Globos de los Andes, Carlos Gonzáles, Jeff Hall, INC, Inkanatura, Inkaterra, INRENA, Carlos Lema, Íñigo Maneiro, Patricia Majluf, MC Autos del Perú, Mirador de los Collaguas, Agustín Mishaja, Eulogio Peña, Proabonos, Profot, ProNaturaleza, Puerto Palmeras, Rainforest Expeditions, José Reynafarje, Sergio Reynafarje, Renzo Uccelli, Any and Antonio Vellutino, Paul Wright, Natali, Mark and Michelle Wust, Alfredo Yoshimoto, Willy Yoshimoto.*

*People from the coastal towns, Andean communities and indigenous men of the Peruvian Amazon.*

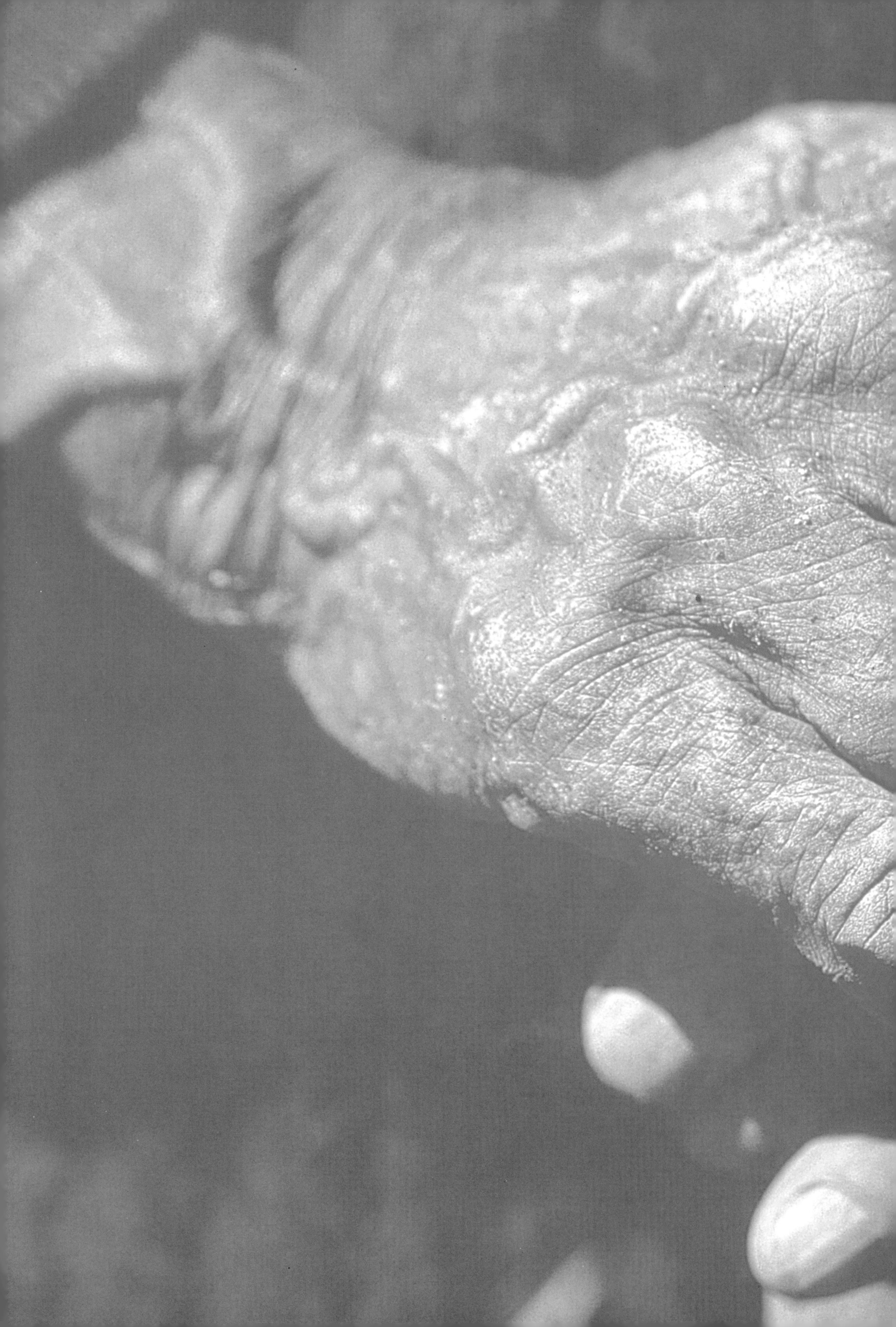